Tim

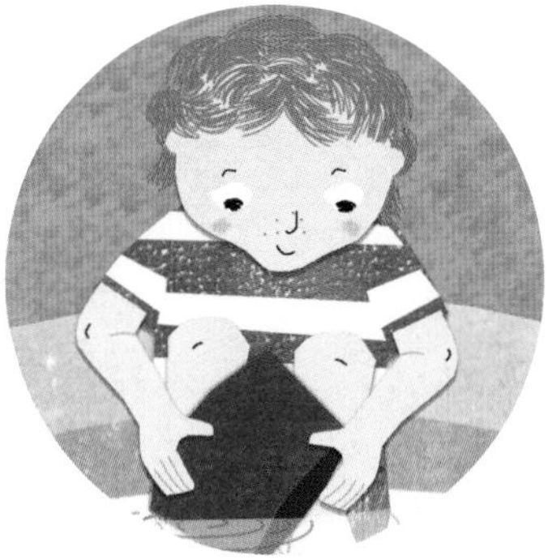

Kasia Reay
Illustrated by Ruth Waters

Schofield&Sims

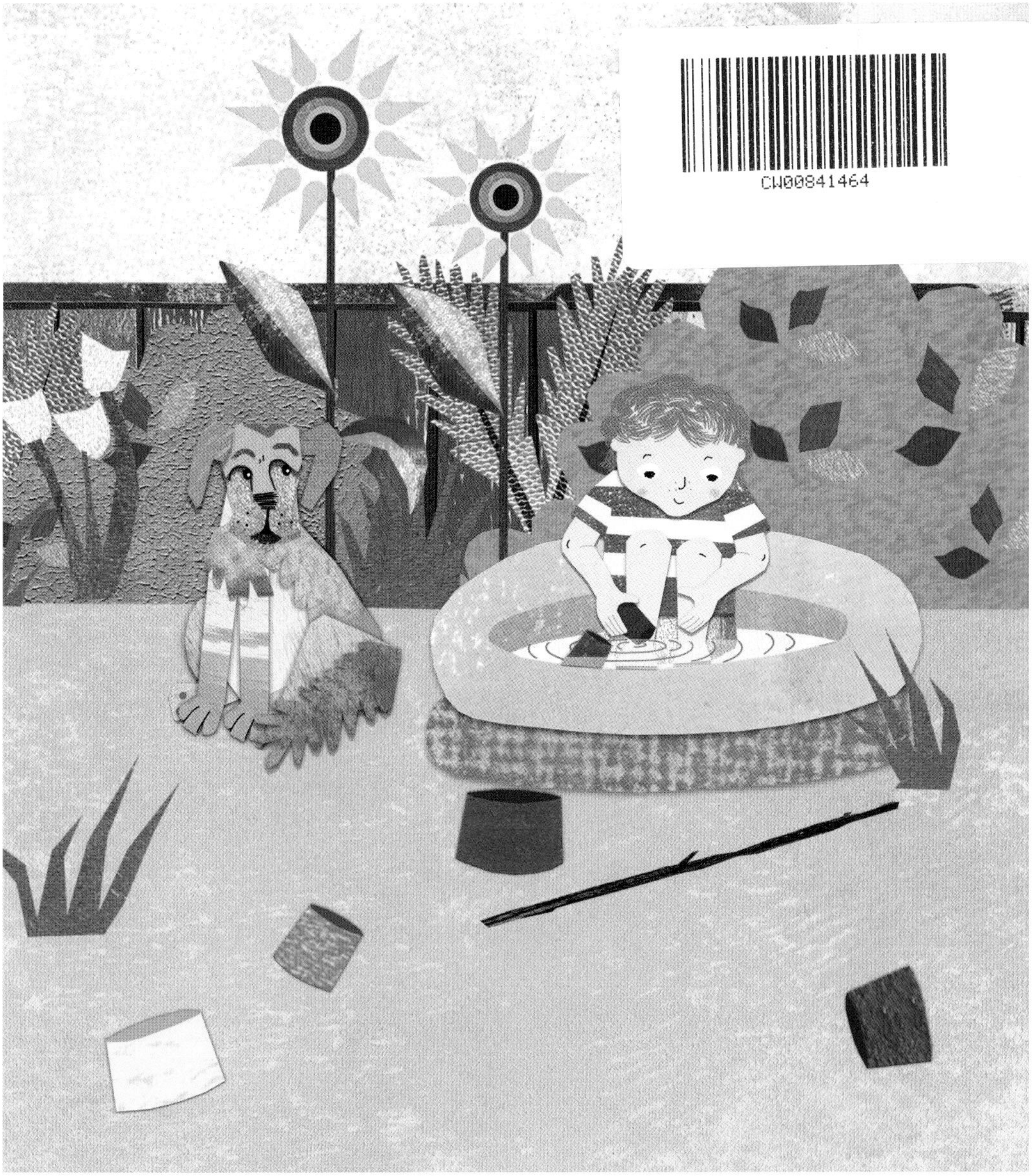

dip it

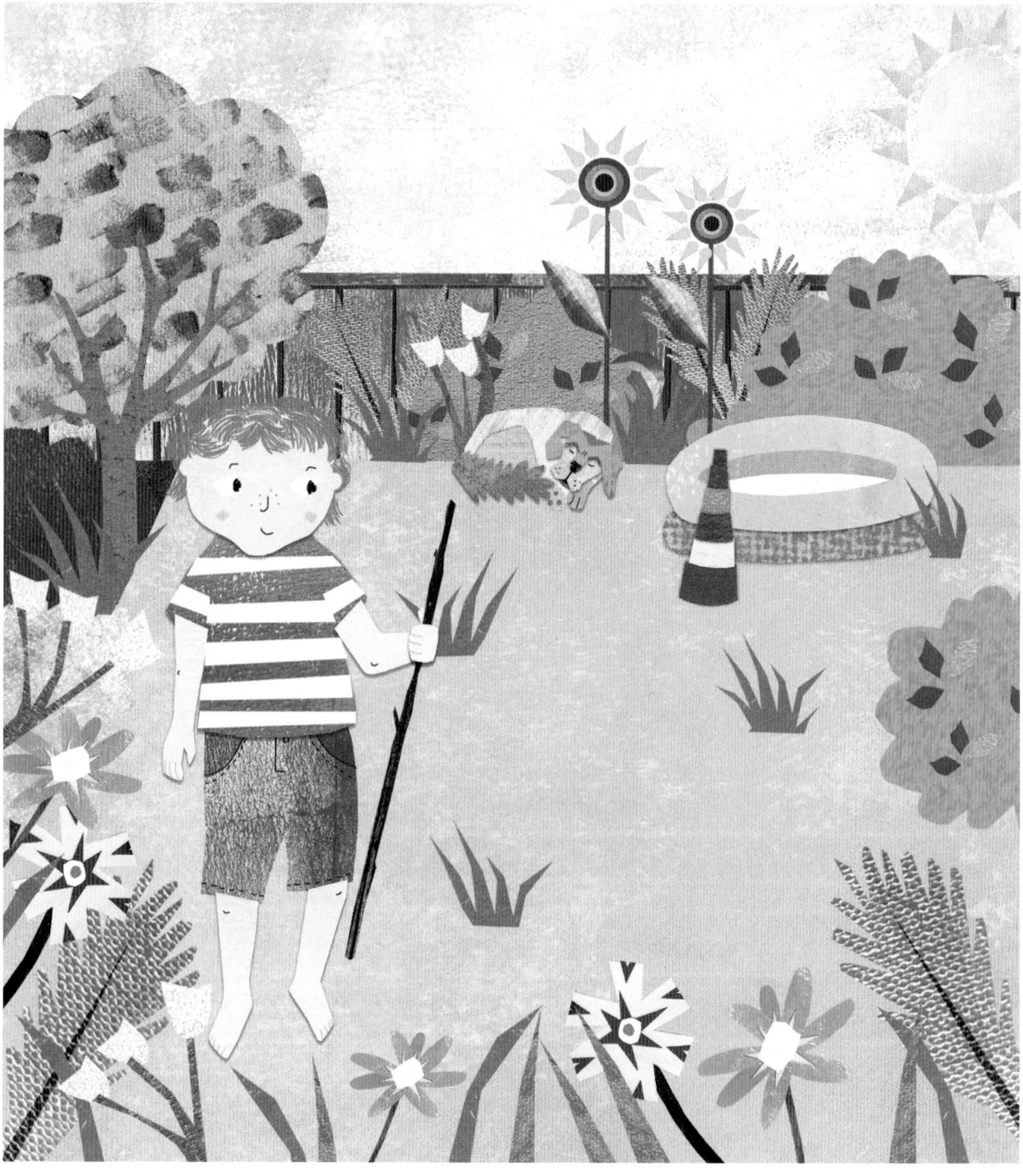

Tim

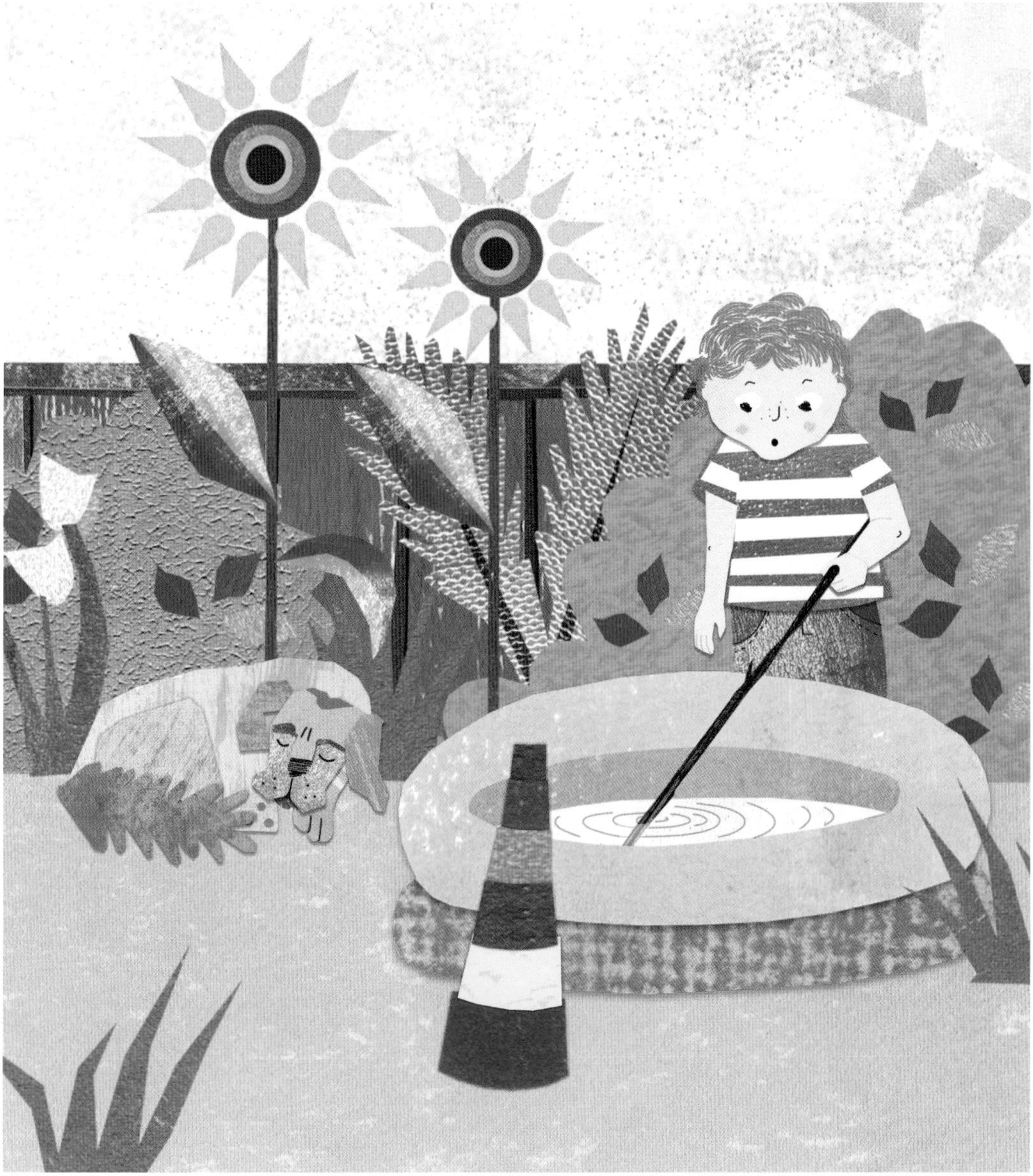

dip it

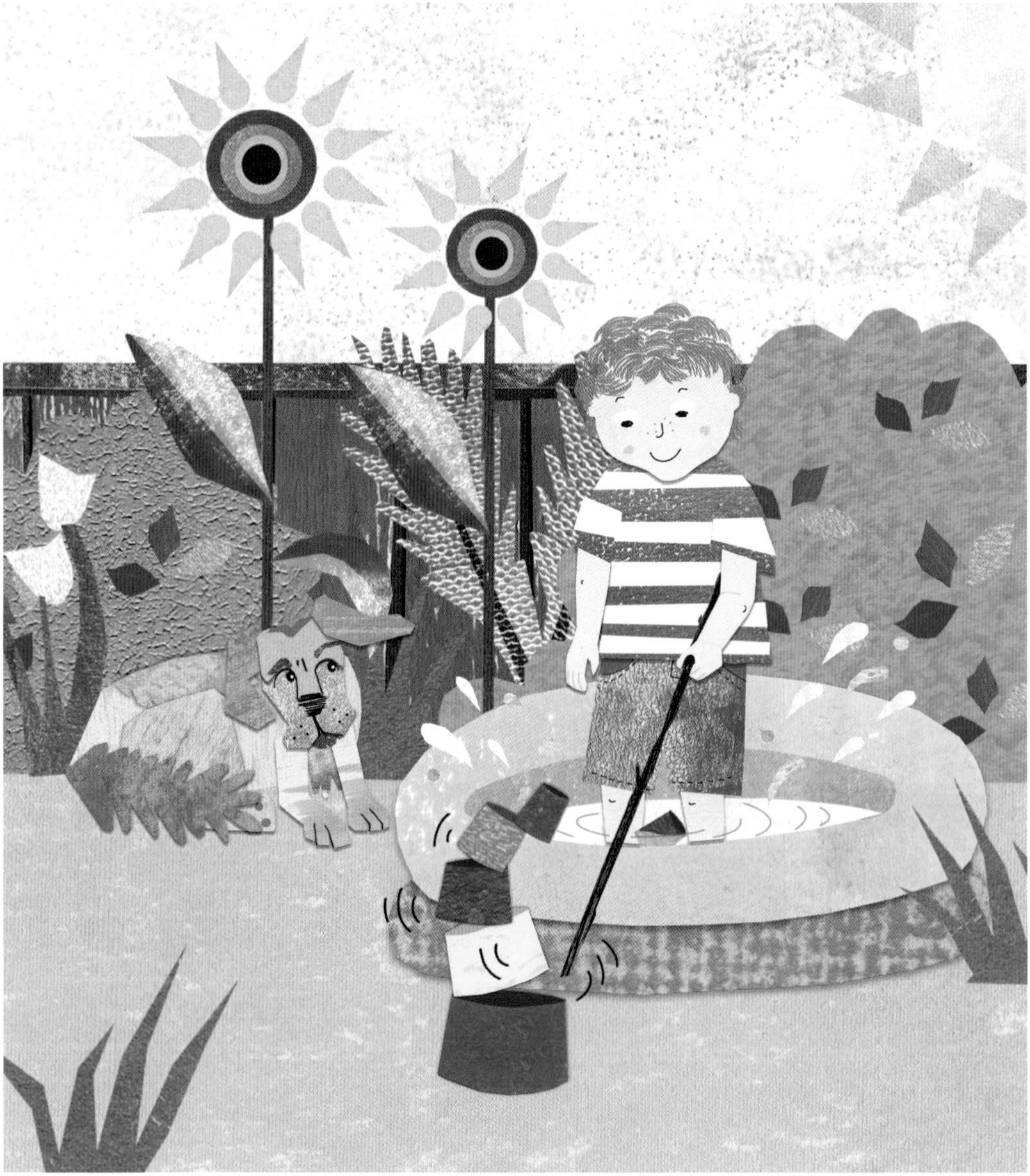

tap it

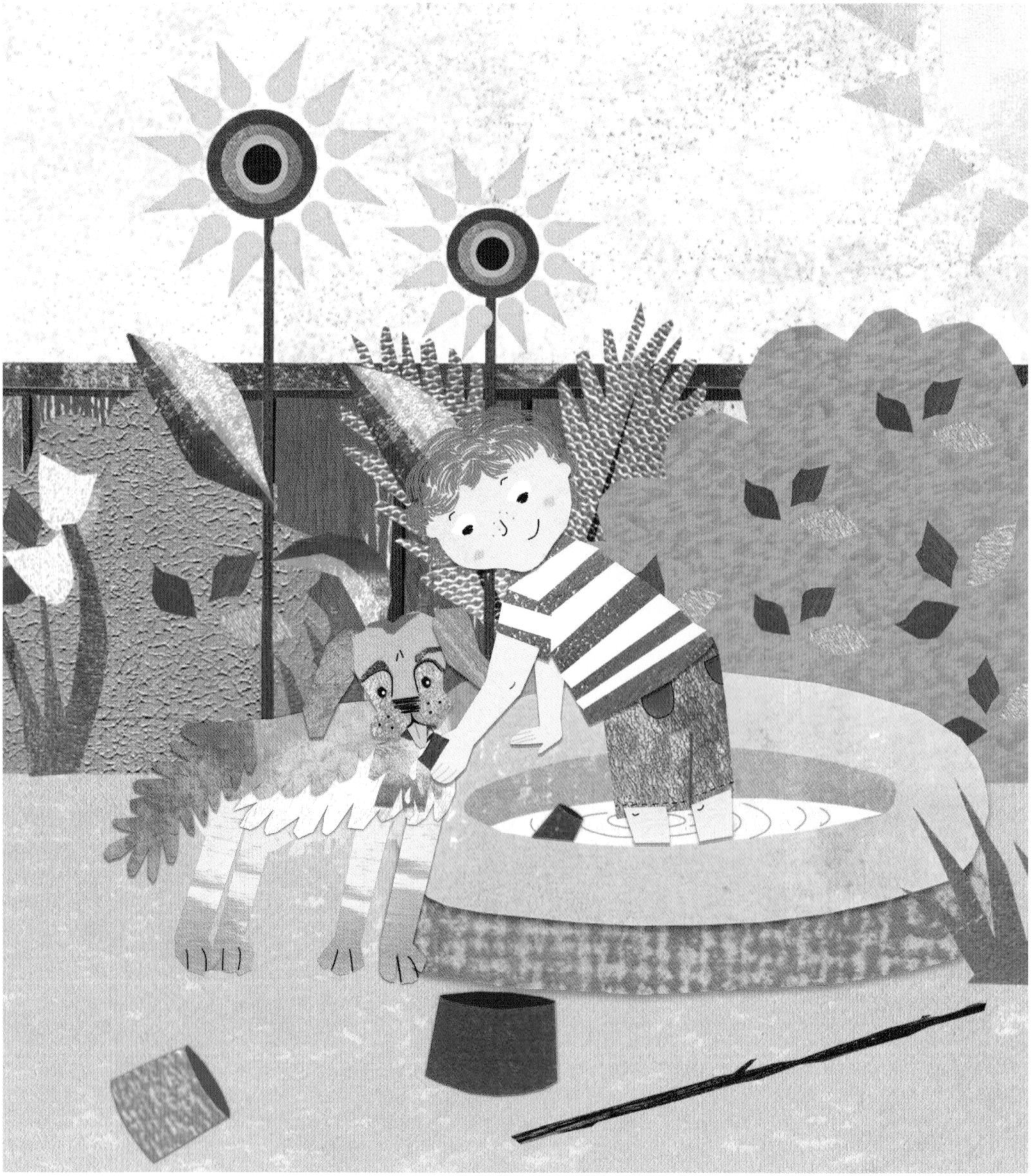

sip it

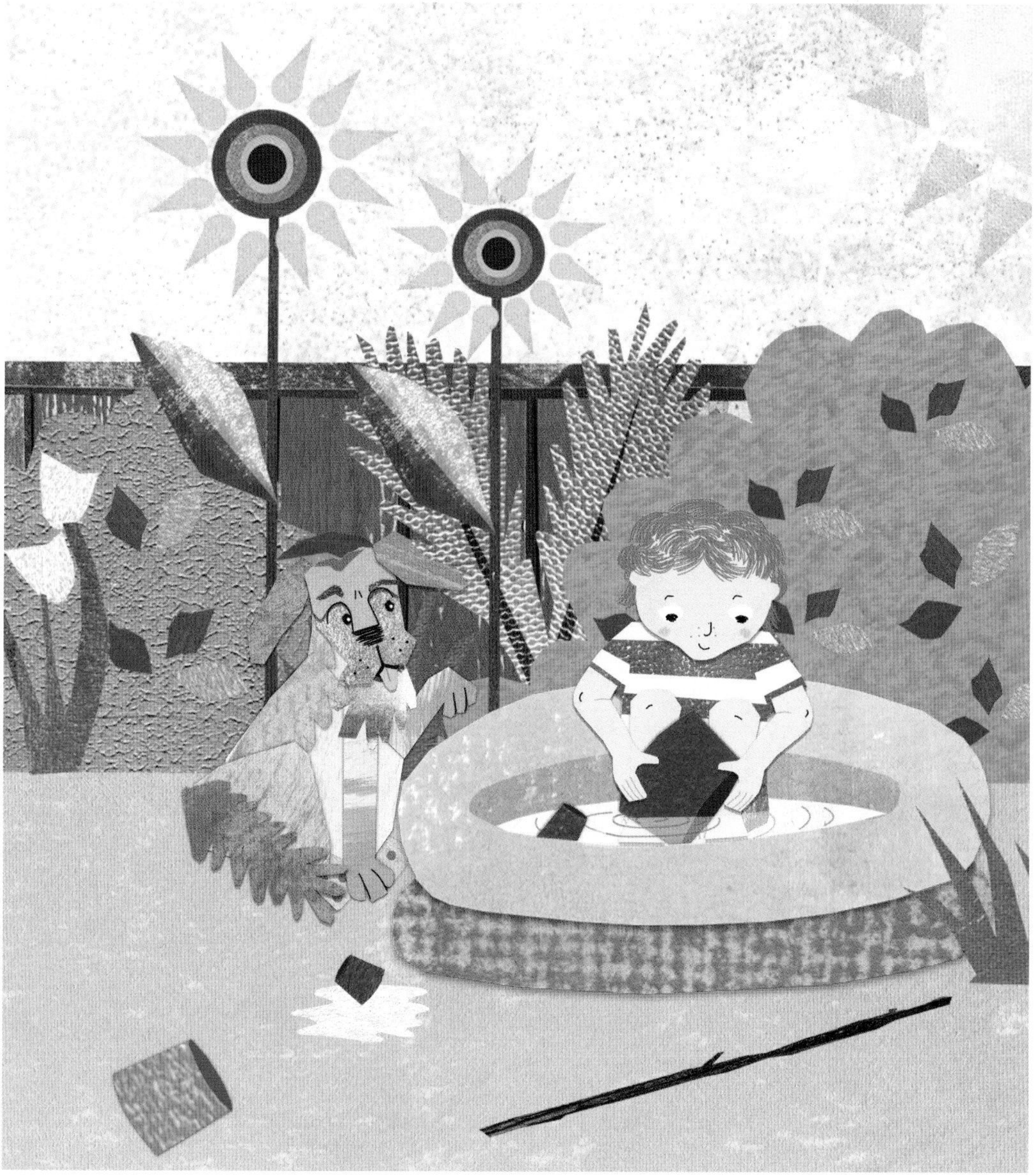

dip it

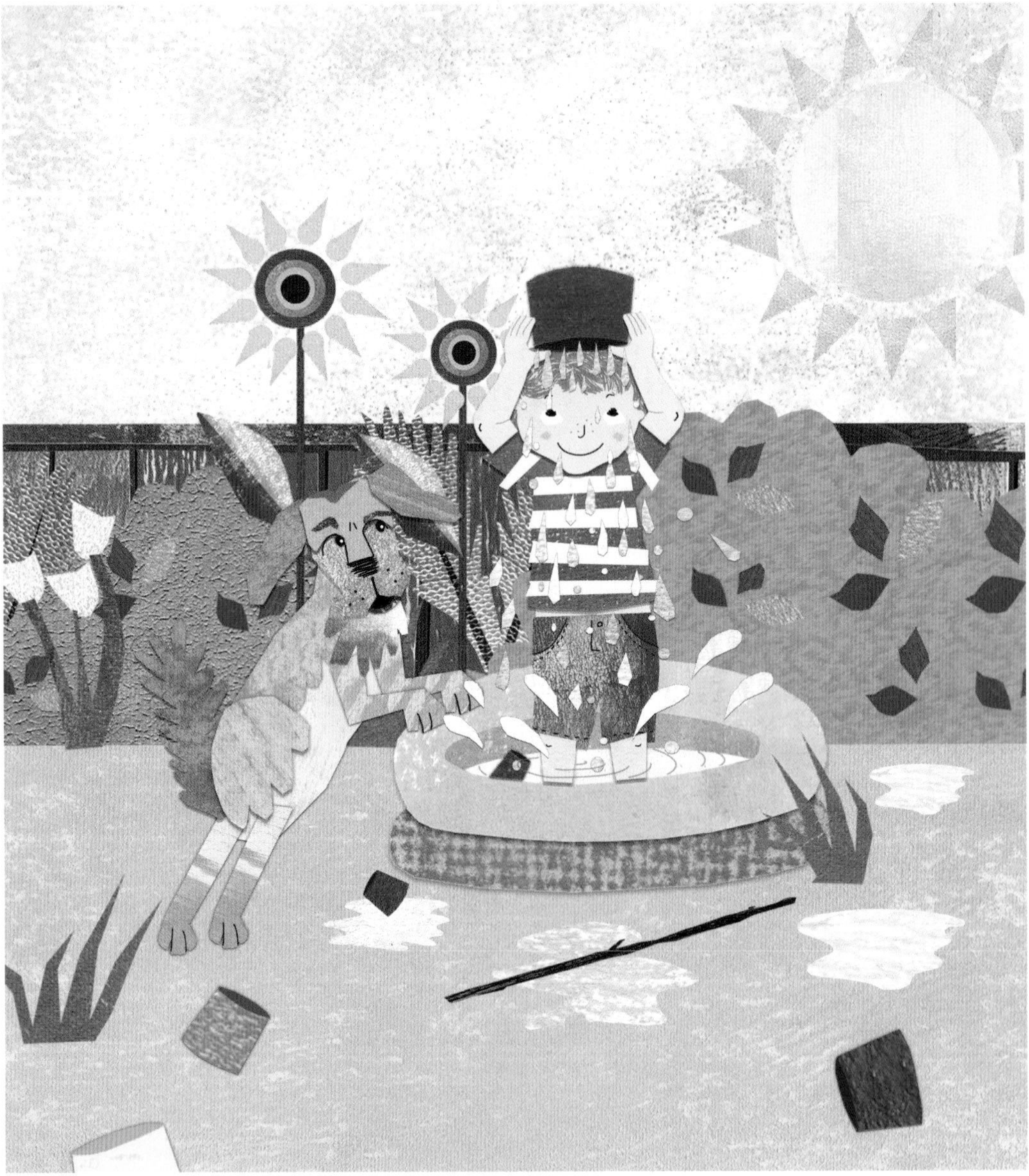

tip it